CNOC CNOC,
TIC TOC, TAP TAP

CERDDI LLOERIG

Cnoc cnoc, tic toc, tap tap

Cerddi lloerig am beiriannau

gol: Myrddin ap Dafydd

Golygydd: Myrddin ap Dafydd

ⓗ y beirdd/Gwasg Carreg Gwalch

ⓗ y lluniau: Siôn Morris

Argraffiad cyntaf: Mawrth 2005

Rhif Llyfr Safonol Rhyngwladol:
0-86381-951-6

Cynllun clawr a'r lluniau tu mewn: Siôn Morris

Argraffwyd a chyhoeddwyd gan Wasg Carreg Gwalch,
12 Iard yr Orsaf, Llanrwst, Dyffryn Conwy, LL26 0EH.
☎ 01492 642031
🖷 01492 641502
✆ llyfrau@carreg-gwalch.co.uk
lle ar y we: www.carreg-gwalch.co.uk

Cyflwyniad

Olwyn fawr ac olwyn fach; pistonau a chocos; pŵer a rhuo – mae cymaint o ryfeddodau mewn peiriant. Mae tu mewn y peiriannau'n symud o hyd, yn crynu i gyd – ac mae yna rai peiriannau wedyn sy'n ein symud ninnau gyda nhw a chawn weld y byd yn gwibio heibio drwy ffenestr car, hofrennydd neu drên.

Mae cerddi a barddoniaeth yn llawn symud, llawn sŵn a llawn rhyfeddod hefyd. Mae yna olwyn fach ac olwyn fawr yn troi mewn llawer iawn o gynnwys y gyfrol hon – mwynhewch y daith yng nghwmni'r peiriannau i gyd!

Myrddin ap Dafydd

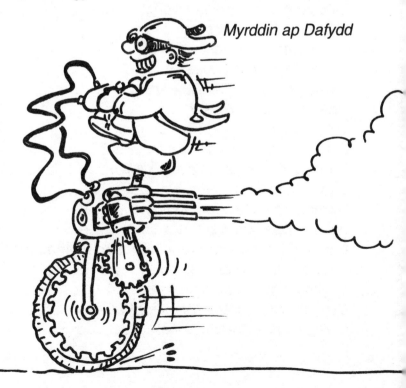

Cynnwys

Yn braf ar y glust

Maen nhw'n sibrwd mewn rhai mannau
Fod rhywbeth od ynglŷn â 'nghlustiau.

Beth sy'n dda am si-hei-lwlian
Wrth li gadwyn groch yn sgrechian?

Os mwyn yw gwenyn mêl yn suo,
Mwynach heimac hardd yn rhuo.

Er bod swyn mewn telyn Steddfod,
Gwell yw dril a'i gri a'i gryndod.

Clên yw llais bach adrodd stori,
Ond rhowch i mi gleciadau'r ffatri.

A beth yw adar mân yn ffliwtio
Wrth stimrolar yn bacffeirio?

Does dim brafiach ar fy nghlustiau
Na chlec a chri a sgrech peiriannau.

Myrddin ap Dafydd

Trydan

Mae'r fideo wedi diffodd,
Does dim signal ar y ffôn;
Mae'r polyn trydan heno
Yn glewt ar draws y lôn.
Dydi'r hwfyr ddim yn sugno,
Na'r meicro yn coginio,
Na'r lamp fach yn goleuo.
Mae hi'n nos dros Ynys Môn.

Rhaid golau cannwyll, debyg,
A berwi dŵr ar dân.
Anghofia am yr hwfro –
Mae'r lle 'ma'n ddigon glân.
Cei ddarllen cylchgrawn swmpus
Neu fwydro yn afieithus
A swatio yn gyfforddus,
A gwrando ar fy nghân.

Lis Jones

Cloc y gwaith

Mae o'n union fel gwneud gwaith
tu mewn i gloc,
tic toc, tic toc,
Yn hollti ac yn naddu llechen las,
cnoc cnoc, cnoc cnoc:
mae'r olwyn fawr yn gyrru'r galon ddur
drwy'r dydd, drwy'r dydd,
a'r trên yn chwythu stêm bob hyn a hyn,
'gad fi'n rhydd', 'gad fi'n rhydd'.
  Ond heddiw mae'r chwarel yn fud
  a'r gweithwyr wedi'i gadael i gyd,
  y chwarel oedd y fwya yn y byd:
  mae'r llechi'n dal y tywydd trwm o hyd.

Mae'r ebill yn gwneud lle i'r powdr du
tip tap, tip tap,
a'r graig yn cael ei chwythu jibidêrs
chwalu'r map, chwalu'r map:
a'r hogia yn y caban yn canu cân,
calon lân, calon lân,
a'u sgidiau hoelion mawr yn camu'n drwm
ar lechi mân, llechi mân
  Ond heddiw mae'r chwarel yn fud
  a'r gweithwyr wedi'i gadael i gyd,
  y chwarel oedd y fwya'n y byd:
  mae'r llechi'n dal y tywydd trwm o hyd.

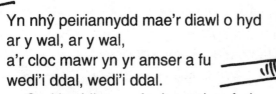

Yn nhŷ peiriannydd mae'r diawl o hyd
ar y wal, ar y wal,
a'r cloc mawr yn yr amser a fu
wedi'i ddal, wedi'i ddal.
   Ond heddiw mae'r chwarel yn fud
   a'r gweithwyr wedi'i gadael i gyd,
   y chwarel oedd y fwya yn y byd:
   mae'r llechi'n dal y tywydd trwm o hyd.

Disgyblion Ysgol Tudweiliog
gydag Iwan Llwyd a Geraint Løvgreen
yn Amgueddfa Lechi Cymru, Llanberis

13

Trên bach yr Wyddfa

Stesion Llanbêr, ochneidio,
ys gwn i fedra i gario
llond gwlad o blant i fyny i dop
yr Wyddfa erbyn cinio?

Dwi'n pwffian stêm o ddifri,
a phawb tu fewn yn gweiddi,
'I fyny, fyny â thi i'r top,
tyd, tyd – mi wn y medri.'

Gwaith-anodd-iawn-yw-tynnu-
llond-trên-i-fyny-fyny-
dim-gobaith-imi-gyrraedd-top-
y-mynydd-rydwi'n-methu-

Hwrê! – dwi ar y copa,
y fi 'di'r trên bach gora!
A nawr am sbelan ar y brig
cyn mynd yn ôl am adra.

Valmai Williams

Onid lladron yw dynion?

Hofrennydd:

Dyn! Onid yw yn lleidr?
Mae wedi copïo gwas y neidr.

Awyren:

'Drychwch, dyma'r smotyn,
Llywio'n llyfn fel gwna'r aderyn.

Llong danfor:

Pysgodyn chwim, dim rhagor,
Yn nofio'n braf o gwmpas cefnfor.

Gwyn Morgan

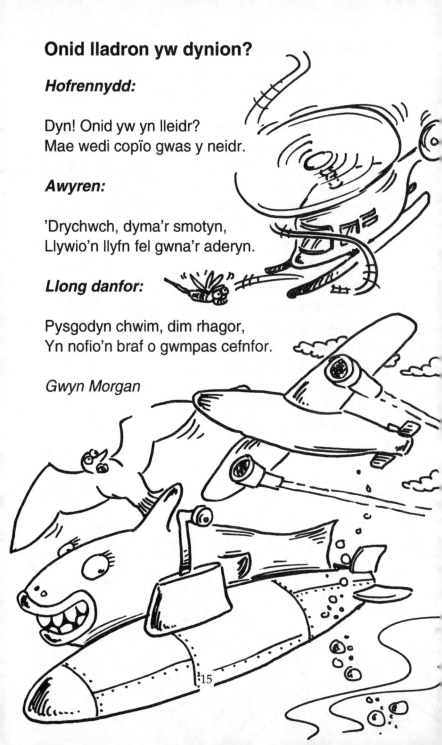

15

Sgwrs y melinau

(Arferid anfon negeseuon drwy gyfrwng adenydd melinau gwynt ar draws Ynys Môn erstalwm)

Mae'r tywydd yn cynhesu
Medd Melin Llynnon;
Mae amser troi yn nesu
Medd Melin Mechell;
Rhaid bwydo'r ceffylau
Medd Melin Rhos Fawr,
A throi y cae yn rhychau
Medd Melin Pant y Gŵydd;
Cawn hau yr hadau nesaf
Medd Melin Berw,
A'u gwasgar am y cyntaf
Medd Melin Cefn Coch;
Daw'r hadau i egino
Medd Melin yr Ogof,
A bydd y grawn yn pwyso
Medd Melin y Bont;

Daw'n aur fel heulwen Medi
Medd Melin y Gof,
A'r cryman bach i'w dorri
Medd Melin Gwalchmai;
Rwy'n barod iawn i'w lyncu!
Medd Melin Sguthan,
Mae'r bara'n mynd i'r popty
Medd Melin Frogwy,
A bydd yn ddiwrnod dathlu
Medd Melin Llidiart.

*Disgyblion Ysgol Gymuned Llanfechell
gyda Myrddin ap Dafydd ym
Melin Llynnon, Môn*

Y peiriant gwneud bob dim

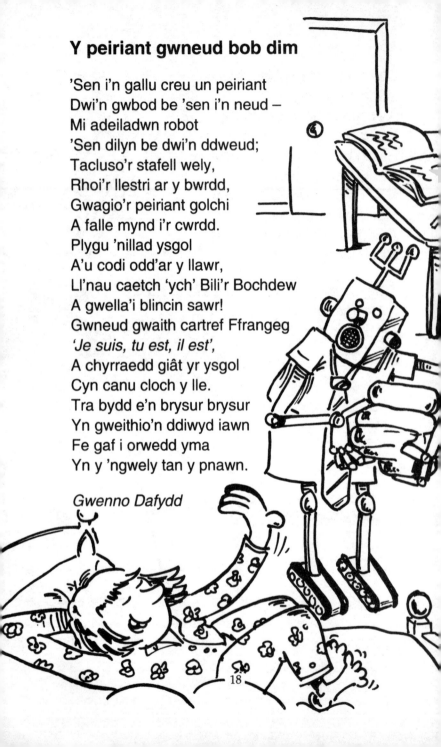

'Sen i'n gallu creu un peiriant
Dwi'n gwbod be 'sen i'n neud –
Mi adeiladwn robot
'Sen dilyn be dwi'n ddweud;
Tacluso'r stafell wely,
Rhoi'r llestri ar y bwrdd,
Gwagio'r peiriant golchi
A falle mynd i'r cwrdd.
Plygu 'nillad ysgol
A'u codi odd'ar y llawr,
Ll'nau caetch 'ych' Bili'r Bochdew
A gwella'i blincin sawr!
Gwneud gwaith cartref Ffrangeg
'Je suis, tu est, il est',
A chyrraedd giât yr ysgol
Cyn canu cloch y lle.
Tra bydd e'n brysur brysur
Yn gweithio'n ddiwyd iawn
Fe gaf i orwedd yma
Yn y 'ngwely tan y pnawn.

Gwenno Dafydd

Megamalwr

Wyddoch chi fod Megamalwr
Yn tŷ ni dan fwrdd y parlwr?
Does 'na neb o'r teulu'n coelio,
Ond mi wn i ei fod yno!

Ei hoff gêm yw malu pethau,
Bwyta lego, cnoi teganau;
Pwy ond Megamalwr rheibus
Lyncai jar o Jeli Bêbis?

Dwi 'di colli'n llyfr gwaith cartre
A dwi fewn drwy amser chware,
Roedd o yn fy mag i neithiwr –
I ble'r aeth o? Megamalwr!

Mae 'na dolc yn nrws y Metro –
Daeth rhyw herc ar feic, a'i daro,
Fi, siŵr iawn, sy'n gorfod talu –
Gesiwch chi pwy wnaeth ei falu!

Geith o fynd ar raglen Jonsi:
'Megamalwr – peiriant handi –
Jest y peth i blant didrafferth
Â'u rhieni'n coelio popeth!'

Dorothy Jones

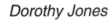

19

Cloc John Jôs

Yn nhŷ John Jôs erstalwm
Roedd cloc mawr uchel, tal,
Yn bren o'i draed i'w gorun,
A safai'n erbyn y wal.

Roedd ganddo wyneb hyfryd,
Rhwng y bysedd pres,
Y byd a'i ryfeddodau,
Yn daclus ddel mewn rhes.

Cymylau gwyn fel wadin,
Awyr lasfaen glir,
Sêr fel diemwntau
A lleuad arian hir.

Fe hoffwn hefyd glywed,
Y cloc yn taro'r awr,
Sŵn tincial bach o glychau,
A chnul fel taran fawr.

Yn nhŷ John Jôs erstalwm
Roedd cloc rhyfeddol iawn;
Fe hoffwn weld ei wyneb tlws,
Llesmeiriol, O! na chawn.

Bethan Non

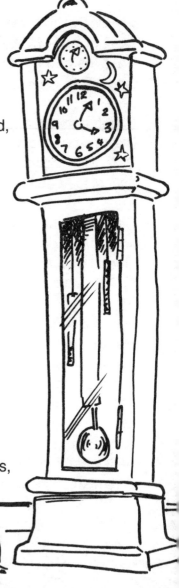

Mae rhai

Mae rhai
Peiriannau'n pwffian,
Gwichian, gwachian,
Hisian, clensian.
Mae eraill yn
Ffrwydro,
Rhuthro.
Ac yna mae 'na rai sy'n
Gyrru, gweryru, sgrialu . . .
Waeth gen i eu bod nhw'n rhuo
Cyn belled bod y tacle'n gweithio!

Gwyn Morgan

21

Sut i ddefnyddio'r tostiwr

Îsi pîsi! –
Tafell wen,
Rho hi'n y tostar dros ei phen.

Tro y deial
I'r lle iawn
Neu bydd y tost yn ddu, nid brown.

Ymhen chwinc
Cei frecwast mawr
Os pwysi di'r lîfar at i lawr.

Cyrraedd at fenyn
A chyllell daenu,
A jam neu farmalêd i'w lyfu.

Estyn blât
A thywallt baned,
Fu dim byd erioed cyn hawsed.

Toc fe fydd
Y tost yn neidio!
Rhaid fydd llamu yno i'w ddal o.

Ond O! Go fflamio!
A drapio ulw –
Mae rhywbeth newydd dynnu dy sylw:

Wel, sôn am ddi-lun,
Wel *wir*, am ddiofal!
Pwy ddaru anghofio rhoi'r plwg yn y wal?

Ann (Bryniog) Davies

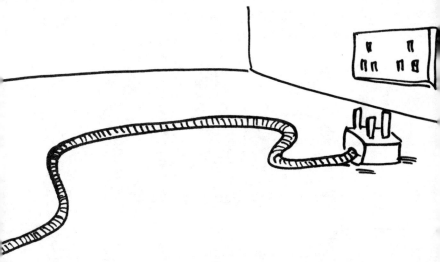

23

Y cloc unigryw

Un diwrnod bu damwain ofnadwy –
Fe fûm i yn crio am awr –
Disgynnodd y cloc yn ddisymwth
A chwalu yn deilchion ar lawr.

Es ati i'w drwsio ar unwaith
O fore tan nos – oriau maith,
Ond er imi fod mor ofalus
Roedd rhywbeth o'i le ar y gwaith.

Wrth weindio'r cloc i'w ailgychwyn
Y bysedd a aent am yn ôl.
A yw cloc yn gloc mewn gwirionedd
A'i fysedd yn symud mor ffôl?

Petawn i yn dilyn ei amser
Yn lle 'bod hi'n dri mae hi'n ddau,
A fyddai fy ffrindiau'n heneiddio
A minnau yn myned yn iau?

Eilir Rowlands

24

Limrigau

Er turio drwy'r llyfryn egluro
Mi fethodd Dad weithio y fideo.
   Roedd am ei ddychwelyd,
   I'r siop, ond mewn munud
Roedd y plant wedi'i gael o i weithio.

Mae bocs twls fy ffrind yn arbennig,
Mae'n llawn trugaredda ffantastig,
   Mae ganddo sgriwdreifars
   A channoedd o sbanars,
A'r cwbwl i gyd yn ot'matig.

Dewi Prysor

Y dyn drws nesaf

Mae Dad yn chwynnu yn yr ardd –
Bu'n gweithio am rai oriau;
Mae'r dyn drws nesa'n cysgu'n braf –
Mae gyda fe beiriannau.

Gwyn Morgan

Dim llonydd

Dydd Sadwrn, dim yn galw
a Dad yn cysgu'n braf
mewn hamog ym mhen draw yr ardd,
a dyna ddechrau'r twrw.

Peiriannau, wel ym mhobman,
drws nesa'n torri gwair
a'r Bwrdd Dŵr wrthi'n codi'r lôn
a'u driliau'i gyd yn sgrechian.

Yn wir, nid dyna'r cyfan –
daeth sŵn awyren bach
fel cacwn meirch yn troi a throi
a throi fel chwyrligwgan.

Roedd Dad oddi ar ei echel
yn bentwr ar y llawr,
a chyn cael cyfle i gymryd gwynt
daeth jet fel cath i gythrel
bron cyffwrdd yn y simdde
nes ysgwyd seiliau'r tŷ;
a Dad yn dweud, 'Mae diwrnod gwaith
yn well na Sadwrn adre'.

Valmai Williams

Llond lle o gismos

Mae tŷ ni'n llawn teclynnau
sy'n gwneud bron pob un dim;
'mond pwyso botwm s'isio,
a ffwrdd â nhw yn chwim.

Mae 'na beiriant golchi dillad,
ac un i'w sychu'n handi,
a meicrodon i gnesu bwyd
a pheiriant golchi llestri.

Mae'r ardd fel pìn mewn papur,
a Dad yn wên drwy'r haf
â'r peiriant sydd yn 'mynd ei hun'
wrth dorri'r gwellt yn braf.

A Mam 'di phlesio'n goblyn
'fo hwfer bychan, twt
sy'n llnau pob stafell yn y tŷ
yn lân, heb neb o'i gwt.

28

Ond 'run teclyn cŵl yw hwnnw
sy'n gwneud bob dim ond siarad;
mae'n troi y gwres a'r golau 'mlaen –
a hynny o fewn chwinciad.

Mae'n cau y cyrtans, cloi y drws,
a phan ddaw'r teulu adra
mae'r cinio'n barod a does raid
i Mam wneud dim ond ista.

Mae gen i ffôn symudol
a di-fi-di a theli
a chyfrifiadur. Teulu crand?
Na, Nain enillodd Lotri.

Valmai Williams

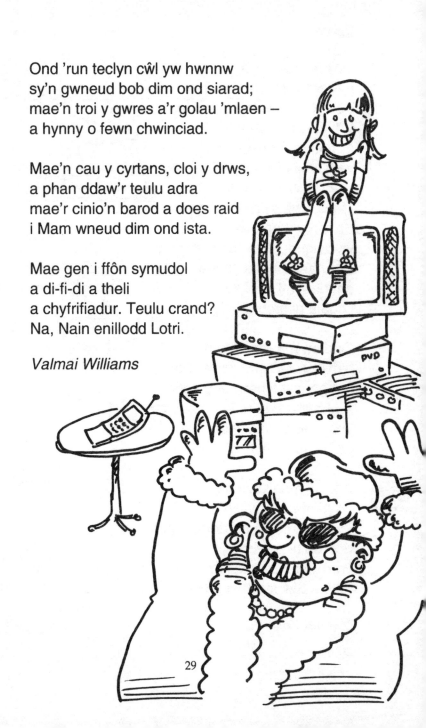

29

Gêm

Mae 'nhraed i yn sionc,
rwy'n dringo, rhoi sbonc
a rasio i'r chwith ac i'r dde.
Y fi ydi'r tshiamp
ar bob math o gamp
wrth wibio ffwl-sbîd hyd y lle.

Mae pawb sy'n fy ngwylio
Yn trin y ffon lywio
yn dweud, 'Wel, 'na glyfar wyt ti!
Ti'n haeddu cael medal
am ddal ati'n ddyfal
i ddala dihirod di-ri.'

Ond cwyno mae Mam,
a'm chwaer yn dweud, 'Pam
fod gennyt ti hawl ar y sgrin?'
A phawb yn tŷ ni
yn gweiddi, 'Da chdi,
tyd o 'na,' a hynny'n reit flin.

A Dad 'mhell cyn saith
yn rhuthro o'i waith
er mwyn cael ymarfer, llawn stêm;
pob un eisiau bod
yn rhywun llawn clod
fel fi – Siwper-arwr y Gêm.

Valmai Williams

30

Bwmerang

Pwy oedd y dyn cynta
Draw yn Awstralia
I naddu rhyw damaid o bren?
Fe'i taflodd 'di gwylltio
Gan feddwl lle'r aeth o
Ond trawodd o'n ôl ar ei ben.

Eilir Rowlands

31

Bybls

Mae teclyn newydd yn tŷ ni,
Peiriant golchi llestri.
Hapusach ydi Mam, medd hi,
Mae'n llai o lafur iddi.

Eu rhoi nhw mewn a rhoi swits mlaen,
Doedd dim, medd Mam, yn hawddach
Ond er egluro mewn iaith blaen
Sawl gwaith – doedd Dad fawr callach.

Un diwrnod, tra oedd Mam i ffwrdd
Roedd Dad yn taclo'r peiriant;
Dieithriaid y tro cynta'n cwrdd,
A dryswch yn gyfeiliant.

Fe roddodd lwmp o sebon gwyn
Yn y lle priodol iddo,
A chau y drws yn glep o dynn
(Drwy lwc, mi'r oedd yn cofio).

Pan aethom 'nôl mewn hanner awr
I'r gegin gefn i jecio,
Roedd ewyn gwyn a bybls mawr
Ar hyd y llawr yn nofio.

Wel, sôn am lanast, sôn am le!
Roedd Dad mewn panig hollol,
A'r ddau ohonom, amser te,
Mewn bybls at ein canol.

Stryffaglio fel rhyw bengwyns dall
Ar lyn o rew yn llithro,
Ein dau fel morloi hanner call
Yn trio dysgu dawnsio.

Edrychem fel rhyw ddigri ddawns,
Yn bachu breichiau'n gilydd,
A'n coesau'n rhedeg heb ddim siawns
O roi 'run cam cyfarwydd.

'Troed i mewn a throed i'r dde,
Dim bwys am gadw amser,
Sleid i'r chwith a cham – hwrê –
A throed i faglu'ch partner.

'Un i fyny, llall i lawr
A'r ddau i lawr 'run adeg,
Ac un i orwedd ar y llawr
A'r llall i ddisgyn chwaneg.'

Â swigod sebon lond ei drwyn,
A'i goesau fel rhai lastig,
Fe redodd Dad fel ffŵl heb ffrwyn
I nunlle yn arbennig.

Y fi gyrhaeddodd at y swits
A'i droi i ffwrdd o'r diwedd,
Ond ar ôl gwneud tua cant o sblits
Fy nghoesau deimlai'n rhyfedd.

Ond nid oedd unrhyw sôn am Dad:
Roedd wedi llwyr ddiflannu;
Wrth drïo cael fy nghoesau'n sad
Fe waeddais 'Dad?' dan grynu.

O'r ewyn hedfanodd swigen aer
A phopio ger y gola';
Ohoni daeth, llais Dad, yn daer,
Yn dweud, 'Dwi lawr yn fa'ma!'

A cododd cawr o fybls gwyn
Fel Yeti'n syth o 'mlaen i,
Gan boeri swigod aer bach tyn
A gneud sŵn 'run fath â thwrci!

34

'Rôl mopio'r ewyn byw, bob drop,
Eisteddom am bum munud,
A chwerthin wnaethom yn ddi-stop
Gan disian swigod hyfryd!

Gwelsom beth oedd Dad 'di wneud,
Ar ôl cael rhyw edrychiad,
Ac addewais innau beidio dweud
Am y sebon golchi dillad.

Cyrhaeddodd Mam ar ddiwedd pnawn
A gweld pob peth yn lanach;
Gofynnodd i Dad, 'Oedd o'n gweithio'n iawn?'
Atebodd, 'Doedd dim byd hawddach!'

Dewi Prysor

35

Bore da!

Gwasgu dy geg i mewn i'r gobennydd,
Cwningen cnoi clustiau, brawd yn brefu,
Dala dillad tu ôl i'r dant:
Peiriannau poenus codi plant.

Rowlo rwff oddi ar y gwely,
Pinsho pen-ôl a shiglad i'r shorts,
Llygoden lan llawes i'n gwneud ni yn lloerig:
Peiriannau codi plant blinedig.

Agor yr awyr i'r stafell gysglyd,
Taranu trwmped a sosban swnllyd,
Dwylo deffro o dan y dwfe:
Peiriannau dihuno yn y bore.

Ticlo traed, bygwth torri tedi,
Dom da drewllyd o dan dy drwyn,
Stampo lawr y staer yn syth:
Peiriannau codi plant o'r nyth.

*Disgyblion Ysgol Gynradd Eglwyswrw
gyda Myrddin ap Dafydd*

Y twmffat aur

Pan mae pawb yn gas efo fi
A neb am goelio dim byd?
Mi fydda i'n dianc i'r ardd
I swatio mewn cuddfan glyd.

Ces anrheg gan Rwdlan un dydd,
Mae'n gallu cyrraedd y nen,
Fel rhyw bibell arian hir, hir
A thwmffat aur ar 'i phen.

Mae'n sugno cymylau tew gwyn
I'r twmffat yn rhimyn main,
A'u tynnu i'r guddfan mor hawdd –
Yn bentwr o sidan cain.

Ac wedyn mae'r twmffat yn troi
Yn gyflym am awr neu fwy,
A finnau'n rhoi petal y rhos
Yn ei ganol efo llwy.

Mae'r twmffat yn stopio – ac O!
Yno – yn gryndod i gyd –
Nid cwmwl a phetal y rhos
Ond Candi Fflos mwya'r byd!

Dorothy Jones

Cyfarpar clyw

Yn dydi o'n beth rhyfedd
Fod teclyn mor fychan
Yn gallu trawsnewid fy mywyd i'n gyfan?
Hebddo mae 'myd
Yn lle llethol o ddistaw
Mae'n anodd, hebddo, cynnal sgwrs â mi'n hylaw.

Beth amser yn ôl
Fe gollais fy nghlyw,
A rhaid fu addasu i ffordd arall o fyw.
Roedd hi'n anodd i'm ffrindiau
Ddychmygu byddardod,
Roedd hi'n anodd i *bawb* orfod dysgu dygymod.

Os trown i fy nghefn,
Gall'swn beidio â'u gweld,
Ac fe neidiwn mewn braw am na allwn eu clywed.
Yn aml iawn teimlwn
Mor dwp a chymysglyd
Wrth wylio'u gwefusau'n dweud rhywbeth dan symud.

38

A finnau'n camddeall
Eu holl gyfathrebu
Ac yn sylwi arnynt yn gwenu neu rythu.
Yna'n chwerthin, a dweud
'Mod i'n *gweiddi* clebran
Am na chlywn i pa mor gryf oedd fy llais fy hunan!

Pan fethwn â gwneud pen
Na chynffon o gwestiwn,
Rhown ateb oedd yn hollol groes i'r hyn ddylwn!
Ond bellach rwy'n deall
Rhai arwyddion dwylo,
Ymdrechaf i ddilyn yr iaith ddistaw honno.

A heddiw, carreg filltir
Yw cael dysgu'n ddiolchgar
Sut i weithio'r ddyfais a thrin y cyfarpar.
Rwy'n dotio mor dwt
Yw'r teclyn-clyw bychan
Sy'n gwneud i mi deimlo fel person crwn, cyfan.

Ann (Bryniog) Davies

39

Cwics Ffics

'Does gan Troli Cwics ddim peiriant, siŵr!'
 O oes 'tad!
Rhwng yr olwynion
Mae peiriant bach distaw, direidus, dieflig.
Hwn sy'n rheoli'r drol!
Aiff un olwyn i'r chwith
A'r llall i'r dde
A'r ddwy tu ôl yn gwrthod troi.
Rwy'n gwthio'n galed i symud ymlaen –
Reit sydyn mae'n nhw'n gollwng!
Ffwrdd â'r drol ar wib
Yn erbyn pyramid o doilet rôls,
A rheiny'n sgrialu fel peli Wimbledon.
Tynnu'r drol 'nôl a gyrru ar frys at y cownter llysiau.
Drat! rŵan wnaiff hi ddim sythu –
Pobl yn methu pasio,
Dyn â sachaid o datws yn sbio'n gas,
Hen wraig yn colli'i thomatos.
Dwi'n chwys domen!
Brysio, heb brynu dim, lawr ali arall
A'r drol yn mynnu dal i fynd,
Stopia! Stopia! Wê! Wê! Wê!
Bang i sodlau dynes gron mewn sandalau,
'O, ddrwg gen i . . .'
'Hy! plant di-reol,' a rhwbio'i throed.
Igam-ogamu fel dyn wedi meddwi
Lawr yr ali sebon,
Bachu'r olwyn wyllt mewn tŵr uchel o bast dannedd
                                                      amryliw,

Enfys yn ffrwydro!
Tiwbiau'n hedfan i'r côlslo, yn gwibio fel rocedi i'r
menyn
A rhai yn slwtsh dan drolis trwm,
O! cywilydd!
Brysio at y til,
'Pum toilet rôl; wyth pâst dannedd, tair tomato slwtsh!
Dyna'r cwbl???'
'Y-y . . . ie . . . diolch yn fawr.'
Baglu'n frysiog am y drws i gadw'r troli trydanol,
trwstan –
A chredwch chi byth!
Mae'r troli'n bowlio fel oen bach yn dwt ac ufudd i'r
rhes!

Dorothy Jones

41

Ein tŷ ni

Mae Tomos y Teledu yn creu lluniau;
Samantha'r Sosban Sglodion yn hisian a thisian;
Lloyd y Londrét yn troi a throi fel hofrennydd;
Callum y Cyfrifiadur yn tynnu ffeil o'r We
ac Ashley'r Argraffydd yn rhoi'r lliw ar bapur.

Finnau'n gorwedd ar Sophie'r Soffa
yn ddiog braf yn bwyta banana.

Mae Tanya'r Tegell Trydan yn chwibanu;
Sam y Sugnwr Sinc yn garglo'n swnllyd;
Hannah yr Hwfer yn crynu a llyncu llwch;
Meirion y Meicro yn barod am ei bing,
a Morgan Melin Goffi yn chwyrnu.

Finnau'n gorwedd ar Sophie'r Soffa
yn gwneud dim byd ond sipian Fanta.

Mae Ffion y Ffôn yn canu tiwn gron;
Stephen Sychwr Gwallt yn chwythu gwres;
Gareth Golchwr Llestri yn sgwrio â'i sebon;
Dale y Dijibocs yn fflicio drwy'r sianeli
a Rhys y Radio yn rhuo rhyw fath o rap.

Finnau'n cysgu wedi cael llond bola
yn fflat fel crempog ar Sophie'r Soffa.

*Disgyblion Blwyddyn 6, Ysgol Gymraeg Bro Eirwg
gyda Myrddin ap Dafydd*

43

Ifor y dyfeisiwr

Mae Ifor yn ei weithdy
Yn treulio'i oriau sbâr
Yn gwneud rhyw bethau rhyfedd
Fel beic olwynion sgwâr.

Gwneud bwced heb ddim gwaelod
A phrocar mawr o bren
Gwneud esgid o groen malwen
I ffitio am ei ben.

Eilir Rowlands

44

Mae angen . . .

Mae angen peiriant arna i
Sy'n gallu gwneud gwaith cartre;
Dadlau gyda Mam a Dad
Gwneud siocled cry' bob bore.

Mae angen peiriant arna i
Sy'n tacluso'r stafell wely;
Bwrw'r bwli yn ei drwyn
Rhoi sws i Anti Meri.

Mae eisiau peiriant arna i
Sy'n gwneud pob math o fwydydd;
Gwasgu botwm, tynnu gêr
Hei Presto! – pêr ddiodydd.

Mae eisiau peiriant arna i
Sy'n fodlon gwneud fel finnau,
Ond wedi meddwl, beth yw'r pwynt?
Gwell gen i gwmni ffrindiau.

Gwyn Morgan

45

Diwrnod beics mynd-i-nunlle

Mae 'na nam ar y falf
A dau hollt yn y teiar,
Dwi 'di colli 'mhwmp beic
A'r tun trwsio pynctsiar.

Wn i'm *ble* mae fy helmed,
Ac fel deudis i 'nghynt –
Dydi 'm ffit i fynd allan:
Mae hi'n law ac yn wynt!

Does dim *byd* gwerth ei wneud.
Mae heddiw 'ma'n hunlle . . .
Dwi'n mynd i'r llofft sbâr
Ar y beic mynd-i-nunlle.

Dwi'n deall fod hyn
(I famau neu dadau)
Yn ffordd dda o golli
Eu gwynt neu eu pwysau.

Dwi'n padlo a phadlo
Fel tornêdo'n fy unfan,
Ond 'mhen dim yn syrffedu
Ar y teithio diamcan.

A wir, jest mewn pryd,
Dyna lais o lawr grisiau:
'Ti'n dŵad ne' ddim?
Dwi'n mynd allan i chwarae!'

Ann (Bryniog) Davies

Hogyn tractor

Nid yw'n mynd at y deintydd,
Nid yw'n mynd at y doctor,
Nid yw'n mynd i unlle
Heb fynd gyda thractor.

O flaen y tân
Yng nghorwyntoedd Chwefror
Neu yng ngardd yr haf:
Mae'n gyrru tractor.

Mae ganddo un gwyrdd
Gyda'i ddrysau'n agor,
Un gwyn gyda llwythwr
A ddaeth o wlad dramor,
Un coch gyda sgŵp
Sy'n dipyn o drysor,
Un glas cario byrnau
Sydd i'r dim yn ei dymor,
Un mawr eisiau'i drwsio
Ac un bach yn y sgubor.

A phan ddaw'n ben-blwydd
Unwaith yn rhagor
A'i holi: 'Pa anrheg?'
Yr ateb yw: 'TRACTOR'!

Myrddin ap Dafydd

49

I mewn i'r golch â nhw

Dim dillad, dim dillad, wel tyrd Mam bach,
I mewn i'r golch â nhw!
Dim didol, dim nonsens, dim halibalŵ,
I mewn i'r golch â nhw.
Rhibidirês, rhibidirês,
I mewn i'r golch â nhw;
Diolch byth am Hotpoint, ffrind sbeshal – naci, sant!
I mewn i'r golch â nhw!

Dau nicyr, dau drowsus ac un hosan ddu,
I mewn i'r golch â nhw.
A chrysau-T melyn a choch, gwyn a phiws,
I mewn i'r golch â nhw.
Rhibidirês, i gyd ar yr un gwres,
Yn enfys o liwiau del.
Rhibidirês, mae Mam yn reit blês,
I mewn i'r golch â nhw!

Ar ôl llenwi a llenwi, 'di'r pentwr fawr llai
Brysia, i mewn i'r golch â nhw!
A nesaf dwy siwmper – wel pwy piau'r rhain?
Twt! Mewn i'r golch â nhw!
Rhibidirês – mae mwy o le yn does!
Mae Mam ar ei gliniau ar y llawr,
Rhibidirês, rhibidirês,
Yn gweddïo bod digon o le yn awr.

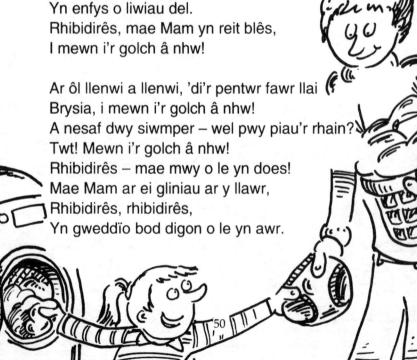

A'r tronsia – haleliwia! Rhai bach a rhai mawr,
I mewn i'r golch â nhw.
Fydd 'na gwyno heb rheina, wel bydd ar fy llw,
Felly mewn i'r golch â nhw.
Rhibidirês, rhibidirês,
Mae'r peiriant yn pwdu erbyn hyn,
Rhibidirês, rhibidirês,
A Mam a'i gwefusau'n dynn.

Yn olaf, dau liain a chrys du a gwyn,
I mewn i'r golch â nhw.
A'r Hotpoint yn gweiddi, 'fydda i'n sâl ar ôl hyn!'
Ond, i mewn i'r golch â nhw.
Rhibidirês, rhibidirês,
Wel croesa dy fysedd, Mam,
'Rôl i'r peiriant fod yn crynu, yn hewian a chwyrnu
Y gelli di agor y drws, yntê, Mam!

Elena Gruffudd

51

Roced Mot

Ces syniad i'w gofio
Pan o'n i'n breuddwydio –
Gwneud roced o genel y ci,
A hedfan tros Gymru
Yn gyflym ofnadwy
Ac edrych i lawr ar tŷ ni.

Cael cynffon y clagwydd
I wneud yr adenydd,
A'u sticio'n eu lle hefo glud;
Ei gadw yn ysgafn
Er mwyn iddo hedfan –
Bin sbwriel yn llawn o ddim byd.

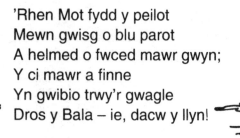

'Rhen Mot fydd y peilot
Mewn gwisg o blu parot
A helmed o fwced mawr gwyn;
Y ci mawr a finne
Yn gwibio trwy'r gwagle
Dros y Bala – ie, dacw y llyn!

Fe glywais rhyw weiddi –
'Mae'n bryd iti godi!'
Fy neffro o daith oedd mor dlos;
Fe gaf, rwy'n gobeithio,
Yr un freuddwyd eto
Fe geisiaf fy ngore – bob nos.

Eilir Rowlands

Y camera digidol

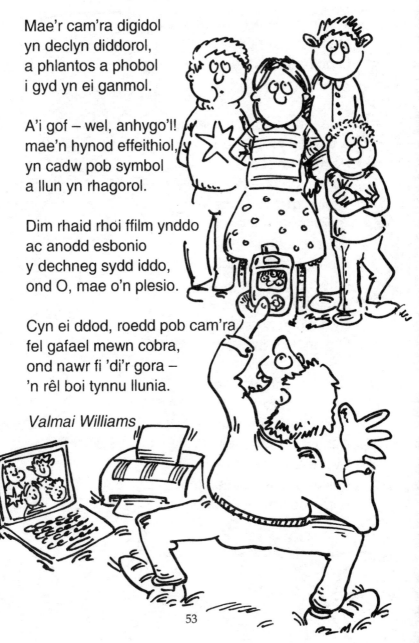

Mae'r cam'ra digidol
yn declyn diddorol,
a phlantos a phobol
i gyd yn ei ganmol.

A'i gof – wel, anhygo'l!
mae'n hynod effeithiol,
yn cadw pob symbol
a llun yn rhagorol.

Dim rhaid rhoi ffilm ynddo
ac anodd esbonio
y dechneg sydd iddo,
ond O, mae o'n plesio.

Cyn ei ddod, roedd pob cam'ra
fel gafael mewn cobra,
ond nawr fi 'di'r gora –
'n rêl boi tynnu llunia.

Valmai Williams

53

Cegin

Mae'n cegin ni'n foethus,
Mae'n cegin ni'n llawn
O bethau diddorol,
Arbennig iawn.

Mae 'na wasgwr ffrwythau
A chwisg curo wyau,
Peiriant nodedig
I grasu brechdanau;
Teclyn gwneud bara,
Hidlwr coffi a thegell,
Microdon arian
A phopty a rhewgell.
Mae 'na beiriant gwneud iogwrt
A theclyn gwerth chweil
Sy'n tynnu pob carreg
O geirios mewn steil.
I gerfio cig eidion
Cyllell drydan sy'n dda;
Peiriant golchi llestri
A pheiriant hufen iâ,
A theclyn rhyfeddol
Sy'n rhan o'r sinc –
Mae'n bwyta sbwriel
A sothach mewn chwinc!

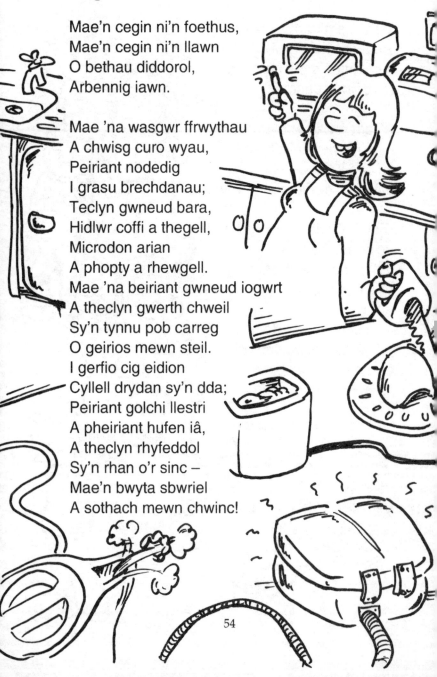

Ond unwaith mewn storm,
Fe gollwyd y trydan,
Pob dim wedi chwythu,
A Mam oedd mewn ffwdan
Mewn düwch yn baglu
O gwmpas y lle.
Dim byd yn gweithio!
Dim byd i de!

Er gwaetha'r peiriannau
A'r teclynnau di-ri –
Heb drydan i'w gweithio
Lle llwm yw'n tŷ ni!

Zohrah Evans

55

Geiriannell

Mae gen i hen declyn bach handi
Wrth law i'm dysgu i sillafu;
   Os bydd angen im wirio'r
   Gair Saesneg, rwy'n teipio'r
Llythrennau i'w grombil i'm helpu.

Mae'n rhedeg ar fatris bach hwylus,
Mae'n ffitio i'm poced yn gampus;
   Pan fydd anwybodaeth
   Yn britho'm llenyddiaeth
Fe drof i at hwn yn ddibetrus.

Ac yna, o'i gof bendigedig,
I ffenest y peiriant daw cynnig!
   Ond oni f'ai'n fendith
   Pe cynhyrchai athrylith
Eiriannell *Gymraeg* 'run mor hyblyg?

Ann (Bryniog) Davies

Srotcart

Tybed wir be ydi'r rhain?
Rumely, Eagle, Landini,
Avery, Ford, Mitsubishi,
Caterpillar, Cab Cadet, Oil Pull, Bison,
Twin City, Steiger, Massey Ferguson,
Oliver, Allis, Field City, Zetor,
Rumely, Big Bud, David Brown, Steiger
Silver King, Field King, John Deer, Ferrari?
Cerdd actrostig, beth am ei datrys hi?

Bethan Non

57

Fy ffôn bach symudol

(sy'n newid lliw gyda'r tymhorau)

Mae gen i ffôn bach melyn,
Fe'i prynais yn yr ha',
Ond pan ddaw hi yn hydref
Rhyw droi yn frown a wna.

Lliw gwyn yw e'n y gaeaf
A gwyrdd pan ddaw mis Mai
Fe droith yn felyn eto
Pan aiff y dydd yn llai.

Eilir Rowlands

58

Jac Codi Baw

Pam rwyt ti'n chwysu yn fan'na, Dad,
Hefo dy gaib a dy raw?
Gofynna i Wiliam Jos, Tan-y-fron,
Gei di fenthyg ei Jac Codi Baw.

Cei wrando ar y radio drwy'r dydd
Tu mewn i'w gaban bach clyd,
Tra bydd y Jac yn chwalu'r holl bridd
A chodi y cerrig i gyd.

Y cwbwl fydd raid i ti neud, Dad,
Fydd symud lifar y gêr,
Fe wna'r Jac Codi Baw y gwaith i gyd
A chlirio'r mieri blêr.

A dyna braf fydd hi arnat, Dad,
Os daw hi'n gawod o law,
Paid poeni dim, mi fyddi di'n sych
Yng nghaban y Jac Codi Baw.

Selwyn Griffith

Idw-Sgidw

Dyna 'di enw'r sgŵter bach
A ges gan Santa Clôs,
Mae ganddo gloch, a gole crwn
Sy'n wincio yn y nos.

Gall Idw-Sgidw sgrialu'n slic
Drwy'r pyllau dŵr a'r baw,
Dwi wrth fy modd yn mynd ar wib
Pan mae hi'n bwrw glaw.

Mae'r ieir yn clochdar ar ben to
A phoeri'n wyllt wna Pws –
'Twt, dowch am ras, 'rhen bethau twp,
Yn lle gwneud sŵn a ffws.'

'A fedri di ei stopio, pwt?'
Medd Nain, mewn pryder mawr –
'Bydd Idw-Sgidw'n stopio'n stond
Pan rof fy nhroed ar lawr.'

Dwi ddim am brynu motor beic
Sy'n costio dau gan punt,
Gall Idw-Sgidw fynd â fi
Wiiw! Rownd y byd fel gwynt!

Dorothy Jones

Peiriannau'r tŷ

Tic, toc, toc, tic
Clic, clyc, clyc, clic;
ding, dong, dong, ding,
Dic, doc, doc, dic.
Tec tac, tac, tec,
Dip, dip, dicodoco, dicodoco;
Mae sŵn peiriannau yn y tŷ
Yn hala fi yn wallgo!

Gwyn Morgan

Dad yn y *gym*

Mae Dad yn rhedeg nerth ei draed,
Mae'n rhwyfo, chwysu cawode;
Mae'n cerdded i bellafoedd byd
Heb symud cam i unlle.

Gwyn Morgan

Cyfrifiaduron

Eistedd 'ma o flaen y sgrin –
Dweud y gwir, dwi'n eithaf blin;
Haul yn gwenu'n braf tu fas
A finne'n dechre mynd yn gas.

Hwn yw'r meistr, hwn yw'r bòs,
Hwn sy'n dweud y drefn heb os;
Clic llygoden – lawr â'r post
Dim byd 'to, wi'n teimlo'n dost.

Gwenno Dafydd

Ffôn

Alexander Graham Bell,
Dyna iti hogyn del –
Gyrru neges dros y byd,
Gwneud fy mywyd i'n un drud.
Dydi'm digon dweud 'Helô'
wrth Dewi, Dwynwen, Jan a Jo;
Rhaid cael sgwrs am hwn a'r llall,
Siarad, siarad yn ddi ball –
Nes mae'r bil yn un anferthol.
Tydi ffôn yn beth rhyfeddol?

Lis Jones

Y sugnwr llwch

Fe brynais hwfyr newydd
I sugno llaid a llwch.
Ond wps! – mae newydd sugno
Dau faedd a phedair hwch!

Peiriannau

Mae'n wir fod pob rhyw beiriant
Yn werth y byd i gyd,
Ond pan maen nhw 'di malu
Dy'n nhw'n DDA I DDIM – DIM BYD!

Roced

Pan fydda i ym Mlwyddyn Chwech,
Dyfeisiaf roced hynod
I anfon Mrs Parri Jones
Ym mhell, bell, bell i'r gofod!

66

Y peiriant golchi

Hen ddynas fach o Gricieth
Yn gweithio mewn londrét,
Ond ar ôl spinio'r bwji
Fe redodd at y fet!

Llif gadwyn

Mae gen i *chainsaw* newydd
A brynais ar ddydd Iau.
Ddoe roedd gen i athro blin
Rŵan mae gen i DDAU!

Margiad Roberts

Llygaid cath

Stribed o sêr yn sgleinio,
Llygaid gwyn yn wincio,
I'n cadw'n ddiogel yn y nos
Rhag mynd i'r ffos wrth deithio.

Zohrah Evans

68

Flymo

Crwban oren yn mynd fel fflamia,
Bwyta'r lawnt a llyncu'r bloda,
Rhedeg o flaen Taid yr Hendre,
Eillio'r gath!
Byth 'run fath!
Llifio'r sied a llowcio'i godre.

Taid yn gweiddi, 'Tyrd yma'r lleidr!'
Crwban oren yn llithro fel neidr,
Dros y wal ac at fferm Cae Clyd
Pluo'r ieir!
Crafu'r ceir!
Tin-dros-ben ac i ganol yr ŷd.

Bethan Non

Chwalwr tail

Pan fydda i'n hŷn na dwi rŵan,
Mi osodaf fy mhunnoedd mewn rhes
Ac mi gyfra i'r cwbl sy gen i
I weld oes 'na ddigon o bres;
Achos mae gen i un uchelgais
Sy'n freuddwyd nad oes mo'i hail:
Dwi eisiau cael bod yn berchen
Ar beiriant chwalu tail.

Does *dim* fasai 'mhlesio i gymaint
Â chael llusgo fy chwalwr fy hun
Tu ôl i slaff o dractor
Sydd â theiars *lot* talach na dyn.
Mi deithiwn o'r cae at y beudy
Ac o'r sied 'nôl i'r cae bob yn ail,
Ac mi wrandawn i ar Radio Cymru
Yn y cab wrth chwalu tail.

70

A phetai 'na rywun yn cwyno
'Mod i'n colli peth o'm llwyth ar y ffyrdd,
Mi eglurwn i'n llawn be 'di'r rheswm
Fod fy nghaeau *i'n* edrych mor wyrdd;
Mi 'sboniwn i be ydi gwrtaith –
Fod o'n pydru yr un fath â dail,
Feiddiai neb wedyn gwyno am yr ogla
Pan fyddwn i'n chwalu tail.

Mi wnawn i'n reit siŵr 'mod i'n cadw'n
Ddigon pell oddi wrth ddillad ar lein,
Ac mi gadwn i draw, wrth reswm,
Petai'r ffenestri newydd gael sglein;
Ond pan fydda i'n hŷn y bydd hynny,
'Rôl cynilo fy mhunnoedd 'nun rhes,
Mi ga i wario y *cwbl* ar chwalwr tail
Os bydd gen i ddigon o bres.

Ann (Bryniog) Davies

71

Olwyn y Gilfach Ddu

*(Mae'r olwyn ddŵr fwyaf o'i bath yn y byd yn yr
Amgueddfa Lechi Genedlaethol yn Llanberis.)*

'Cysgu dwi isio,' meddai'r olwyn fawr,
'ond mae'r hen law 'ma yn dal i ddod lawr!

'Lawr o'r Wyddfa'n rhochian yn drwm
daw'r Hwch gan dasgu drwy geunant a chwm.

'Cwm o lechi ydi 'ngharchar i –
'sgen i ddim 'mynadd i droi y naddwr a'r lli:

'Lli y llwyau sy'n fy mwyta drwy'r dydd –
lle mae'r goriad wnaiff fy ngollwng i'n rhydd?

'Yn rhydd fel yr afr sy'n llamu ar y graig
neu'r mwg sy'n codi o fflamau'r ddraig?

'Draig yr efail ac ysbryd y tân
sy'n sugno fy nerth, yn fy mlino'n lân.'

'Glân fyddai'r llechan,' meddai plant Cwm-y-glo,
'ond a fydd dy hanes yn canu'n y co?

'Y co am y celfi, y chwerthin a'r graith
a rhythm diddiwedd hen galon y gwaith.

'I'r gwaith lle'r ymladdodd ein teidiau ni
daw rhwd a mwsog os y cysgi di.'

*Disgyblion Ysgol Cwm-y-glo gydag Iwan Llwyd
a Myrddin ap Dafydd*

CERDDI  LLOERIG

Cyfres o lyfrau sy'n cyflwyno barddoniaeth ddifyr i blant, gyda chartŵn ar bob tudalen, ar themau gwahanol fel pobl, anifeiliaid, bwyd, chwaraeon, yr ysgol, pethau ych-a-fi, perthnasau, y tywydd a dathlu'r Nadolig.

BRIWSION YN Y CLUSTIAU
£3.25

MUL BACH AR GEFN EI GEFFYL
Cerddi am greaduriaid
£3.50

NADOLIG, NADOLIG
£3.50

Y LLEW GO LEW
Myrddin ap Dafydd
£3.75

CHWARAE PLANT
£3.75

BYW A BOD YN Y BATH
Lis Jones
£3.75

TAWELWCH!
TARANODD MISS TOMOS
£3.75

YCH! MAEN NHW'N NEIS
Gol: Myrddin ap Dafydd
£3.75

BRECHDANA BANANA A
GWYNT AR ÔL FFA
Gol: Myrddin ap Dafydd
£3.75

TABLEDI-GWNEUD-'CHI-WENU
£3.95

PERTHYN DIM I'N TEULU NI
£3.95

DWI'N BYW MEWN SW GYDA'R CANGARŴ
£3.95

HEN WRAGEDD A FFYN AC EIRA GWYN
Cerddi am y tywydd a'r tymhorau
£3.95

NADOLIG Y PLANT
Casgliad o farddoniaeth Nadoligaidd
£3.95

Blodeugerdd liwgar
o farddoniaeth plant

Casgliad helaeth o gerddi ar gyfer plant
ysgolion cynradd – y clasuron a'r cyfoes

£6.50